이번 생은 가주가 되겠습니다

이번 생은 가주가 되겠습니다

몬·앤트스튜디오 만화 • 김로아 원작

2부
1

D&C
WEBTOON

차 례

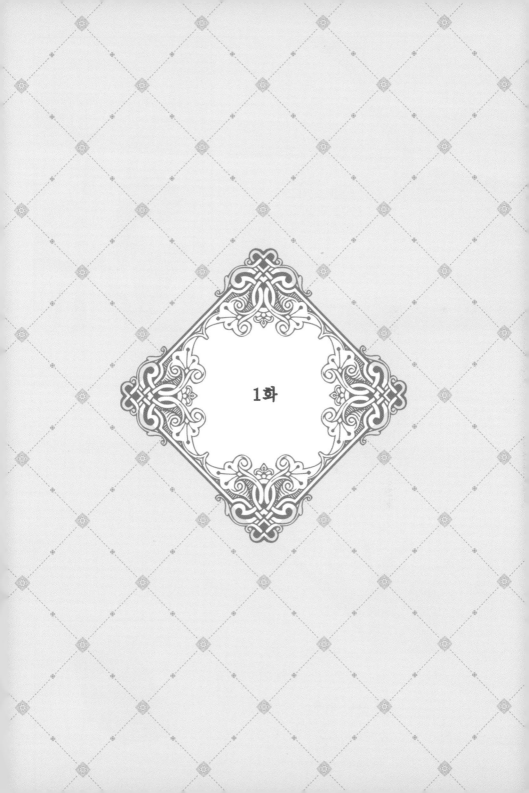

1화

안녕, ~~프렌~~ 피렌티아.
편지는 이렇게
쓰는 것이 맞을까?

내일부터 제대로 된
검술 수련이
시작된대.

어깨는
힘을 빼시고...

황실 기사가 사범으로
온다고 하지만,
그 후 카일러스 경의
지도 아래 따로 수련을
하기로 했어.

참, 네가 준 목검을
보고 카일러스 경이
감탄하더라.

나도 무척
마음에 들어.
-페레스가-

안녕, 페레스.
답장이 늦어서
미안해.

얼마 전 아버지가
생일 선물로 주셨던 말들이
이제 도착해서
한참 돌봐 주기 바빴어.

아직 말을 타는 건
좀 무섭지만,
망아지는 순하고 예뻐서
한번 도전해 볼 생각이야.

이것 보렴,
귀엽지?

그건 그렇고,
식사는 챙겨 먹고
있는 거지?

케이틀린 님이
걱정하시더라.

열심히 하는 건
좋지만 제때 안 먹으면
너 키 안 자란다.

-티아가-

티아에게.

널 생각할 때마다
편지를 썼더니
양이 너무 많아서
몇 장만 골라 보내.

요새는
무릎과 팔꿈치가
자주 아파, 자다가도
종종 깨곤 하는데

케이틀린의 말로는
이제부터 내가
무섭게 클 징조래.

얼마 전엔
궁 정원의 구석에서
붉은 꽃이 봉오리 지기
시작한 걸 봤어.

이게
케이틀린이 말했던,
이곳에서만 핀다는
봄니아 꽃일까?

케이틀린 편에
조금 들려 보낼게.

네 곁에서도
꽃을 피우길.
-페레스가-

안녕, 페레스.
12살 생일을
축하해.

선물로 새 검을
주고 싶었는데,

케이틀린이
들고 돌아가면
너무 눈에 띌 것 같아서
금화와 루비 브로치를
보내.

네 눈색과 꼭 닮은
최상급품의 루비로
골랐으니까,
정말 잘 어울릴 거야.

ps. 봄니아 꽃은
왔을 때 이미
말라 있어서
먹지는 못했어.

대신 수정에 끼워
예쁜 꽃갈피를 만들었으니
네게도 하나 보내 줄게.

그걸 본 순간,
그 여자의 얼굴이
일그러지더라.

선물 고마워,
티아.

어제는 네가 준
루비 브로치를 달고
황실 만찬에 참가했어.

귀한 것이니
황제의 선물이라
착각이라도 한 걸까.

내 선물이
그런 식으로 오인받았다
생각하면 나도
불쾌해

…그러고 보니
최근에 이상한 일이
있었는데,

개인 검술 수업 도중에
'오러'라는 것을
만들어 냈는데,
그 바람에 연무장의 바닥이
부서졌어.

카일러스는 몇 번이고
다시 만들어 보게 한 후,
그날은 급하게 돌아갔어.

폐하께는 아직
말하지 말라는 것
같아.

굉장한데?
그건 정말
대단한 거야.

정말 열심히
했구나, 페레스!

하지만 나도
당분간은 네가
오러를 발현했다는 걸
숨기는 쪽을 추천할게.

비장의 무기는
늘 손에 쥐고 있어야
하는 거니까 말이야!

알았어,
티아.

전부 네가
하라는 대로
할게.

그러고 보니,
케이틀린이 네게도
이야기를 전했을까?

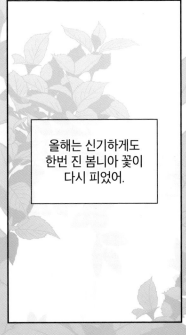

올해는 신기하게도
한번 진 봄니아 꽃이
다시 피었어.

조금 호기심이 생겨
책을 찾아봤는데,
봄니아 꽃의 유래는….

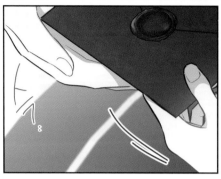

그럼,
다녀오겠습니다.

황자 전하.

그래.

아휴,
무슨 마차가
이렇게 막히는지….

…로릴,
왔구나.

으아암~

그냥 저도 저택에 방 하나 내어 주시면 안 될까요?

매일 출퇴근하기 너무 번거로워요~.

안 돼.

네가 집으로 돌아가지 않으면 딜라드 부인이 서운해하시잖아.

단 호!

그래 봐야, 매일 앉혀 놓고 오늘은 이 영식이 좋니 내일은 저 영식이 괜찮니 하시는데~.

아휴~

흠...

...그나저나, 편지를 쓰시려고요?

이 편지지가 나와 있는 걸 보니, '그분'께 쓰시는 거군요! 게다가….

이렇게 보면
참 별거 아닌
꽃인데,

온 시내 꽃집을
돌아다녀도 똑같은 걸
찾을 수가 없다니까요.

따.라.서.

저, 로릴은
이분이 수도에서
멀리 떨어진 곳에 사시는 게
분명하다고 생각합니다!

맞죠?
그렇죠?

네~?!

으음...

그래,
그렇게 똑똑하니
이제는

네가 나 대신
클레리반 님께
교육을 받아도
되겠는걸.

아휴,
마음이야 저도
그러고 싶죠!

그런데
아시잖아요.
오라버니는―

뚝뚝.

실례합니다,
피렌티아 님.

들어가겠습니다.

끼익.

오라버니!

와 계신 줄
몰랐습니다.

아이참,
언제쯤이면 저를
여동생으로
대해 주실 거예요?

꾸벅

쨍쨍

쨍...

클레리반도 참,
양반은
못 된다니까.

벌떡!

...딜라드
영애.

어차피 여긴
피렌티아 님과
오라버니뿐인데요!

…딜라드 가문의
따님께 그런 무례를
저지를 수는 없지요.

또,
또 그렇게….

로릴.

나는 슬슬 수업을
시작해야 할 것
같은데….

괜찮다면 주방에서
차와 과자를 받아다
응접실에서
쉬고 있으렴.

클레리반의
수업이 시작되면,

내 방에는 로릴도
들어오지 못한다.

서언..

터덜...

터덜...

타악...

네에…

터덜.

원칙적으로 이 시간은
롬바르디의 '후계'만을 위한
특별 수업이며

…호칭 정도는
내어 주어도
괜찮지 않아요?

저 아이는 그냥
클레리반과
가까워지고
싶은 것 같은데…

…저는
'딜라드'가
아니니까요.

타.

보다 근본적인 이유로는,
이것이 수업을 빙자한
클레리반과의
사업 회의이기 때문이지.

딜라드가의 장녀가
성조차 받지 못한 이에게
오라버니라니,
당치 않습니다.

그보다,
부디 검토를.

하아...

...알았어요.
이 이야기는
여기까지만 하죠.

말은 그렇게 해도,
로릴이 나갈 때까지
쭉 지켜봤으면서...

클레리반이
딜라드가의
사생아였다는 걸
처음 말했을 때는
정말 놀랐다.

동시에,
한편으로는 그가
나를 주인으로 택한 이유를
한 가지 더 안 것 같은
기분이었어.

이전 생에서
그렇게까지 맹렬하게
성공을 향해
내달렸던 이유도....

오픈 이후 이제까지 매출은 예상한 만큼 순조로우며, 반응 역시 지속될 것으로 보입니다.

그 외 북부에 열한 곳, 서부에 일곱, 동부에 열두 곳과 남부 지점 열다섯….

음~

둘이 남매 맞네. 완전 남매네.

짤

짤

짤

짤

또 언제 준비한 거야..

…본점 포함 총 46개 지점이 제국 전역에 모두 완벽히 정착했다 판단됩니다.

또한 일반 시민들, 특히 평민층을 중심으로

직접 원단을 떼어 옷을 제작하기보다는 '갤러한 의복점'의 옷을 찾는 것이 보편화되며,

예상하셨던 것과 같이 남부의 직물상들이 실질적 판매처를 롬바르디,

혹은 갤러한 상단으로 돌리고자 하는 움직임을 보이고 있습니다.

따라서
원단 확보는
더욱 안정적으로
변화할 예정입니다.

…아동복 쪽의
호응도
생각 이상이네요.

생소한 개념이라,
정착되기까지는
시간이 걸릴 거라
생각했는데.

예,
아이들이 자라면
기존의 옷을 입을 수
없다는 점을 감안해,

초반 예측을
다소 낮게 잡았던 것이
놀라울 정도입니다.

아마도
'기성복'이 보편화되면서
시민들 사이의 위생 의식이
높아진 부분이 큰 이점으로
작용했을 것이라
생각됩니다.

이제 클레리반이
할 일은
단 한 가지군요.

수고하셨어요,
클레리반.

아가씨를 위해
일할 수 있는 것이
저의 기쁨입니다.

말씀하십시오.

2화

……네?

슬슬 대비해야죠.

얼마 뒤면—

아가씨,

뗑..

제가…
실수한 게
있습니까?

네?

…피렌티아
아가씨,

??????

··········

··········!

어둥

아니,
제가 아니라
롬바르디!

롬바르디에
사직서를
내란 뜻이었어요!

지둥

아…!

어둥
지둥

파앗~

이제 곧
제 열한 번째
생일이잖아요.

황당..

…대체 왜
그런 생각을?

당   당

본격적으로
상단을 움직여야 하니,
클레리반도 준비를
하라는 뜻이었는데….

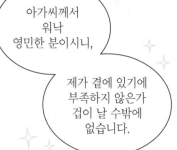

아가씨께서
워낙
영민한 분이시니,

제가 곁에 있기에
부족하지 않은가
겁이 날 수밖에
없습니다.

하하….

클레리반의
상업에 대한 감각은
본능을 넘어
야성적이기까지 하다.

3년,
그 짧은 시간 동안
수십 개의 의복점 분점을
완벽하게 관리해 낸
능력을 보면

두말할 필요가
없지.

그런 클레리반을,
내가 대체
왜 놔주겠어?!

아무튼,
일어나세요.

이러다 누가
보기라도 하면….

아빠…?

티, 티아야….

세상에,
이 땀 좀 봐.

대체
무슨 일이에요?

그럼 전
이만.

빠른 퇴장.

티아야,
큰일 났어.

아빠가…

아빠가 훈장을
받을 거래!!

그러니까….

3일 뒤 열릴
건국제에,
황실에서 아빠에게
훈장을 내리기로
했다고요?

…황궁에서
의복점으로
사람을 보냈더구나.

기성복으로
제국민들의 삶에
크게 이바지한
공로라 하는데….

축하드려요, 아빠!

하하…. 고맙다, 우리 딸.

이번 건국제는 십 몇 년 만에 제국의 4대 가문이 모두 참석하는

엄청나게 큰 연회가 될 거라고 들었는걸요.

그 사람들 앞에서 아빠가 훈장을 받는다니

정말 너무너무 멋있겠다.

아하하….

사실 나는 이렇게 될 걸 알고 있었지만.

아무리 황제라 해도, 이런 일을 며칠 만에 결정할 리가 없지.

황실은 이미 석 달도 전에 할아버지에게 넌지시 의사를 비쳤고,

클레리반이 내게 그 정보를 알려 주었다.

북부의 아이반,

서쪽의 앙게나스,

동의 루만,

그리고 남부의 서셔우까지.

…애초에,
대영주로 꼽히는
이들이

약속이라도 한 듯
이번 건국제에 모이는
이유가 뭐겠어.

기성복 사업은 이미
궤도에 올랐고,
이제는 새로운 영역으로
확장을 해야 할 때야.

그건 필시
커다란 돈의 흐름으로
이어지겠지.

가만,
훈장을 받고
절을 하던가?

아니면
절을 먼저
하고….

제국 내 거물들은
그걸 아는 거야.
그렇다면….

그 기대에
제대로
응해 줘야겠지!

짝!

그럼 엄청나게
중요한 순간이
될 테니까….

예쁜 옷을
골라야겠다,
그죠?

!

티아야….

그래,
황궁에서 열리는
연회.

그것도
건국제 연회라니.

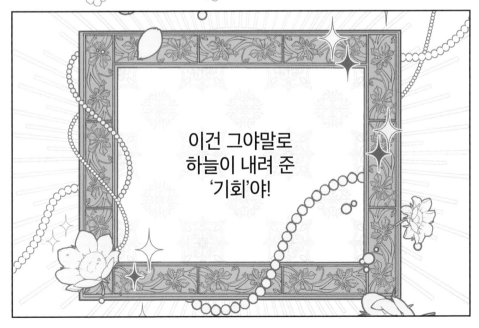

이건 그야말로
하늘이 내려 준
'기회'야!

파탁.

파탁.

파탁.

타앙.

타악.

쿠ㅇ!

타악.

왔느냐.

꾸벅.

쪽. 살갑지
못한 녀석.

…뭐,
됐다.

최근 검술에
매진하고 있다는
말을 들었는데.

네 선생이 말하기를,
이대로라면 몇 년 내로 네게 오러를 기대할 수도 있다던데.
멍청한 자.
자기 손에 있다고 여기는 것조차도, 제대로 알지 못하는…
이런 자가 황제란 말인가.

퍽 노력을
하는 듯하니,
자애로운 아비로서
상을 주어야겠지.

명령이다,
2황자.

3일 후 열릴
건국제의 연회에서

나와 함께
입장할 채비를
마쳐 두거라.

3화

…….

이번 기회에,
귀족들이 네 존재를
제대로 인지하는 것도
좋겠지.

무슨 생각인지는
뻔하다.

나를
모두의 앞에 내보여,
그 여자의 속을
긁고자 하는 것이겠지.

하지만….

아직이다.

그 여자와
맞서기엔,
아직 힘이 부족해.

가지
않겠습니다.

멈칫

…뭐라?

사람들의 앞에
나서기에는

저는 아직
많이 모자랍니다.

씰룩

허…!

저 얼굴,

저 눈.

선황과 판박이인
그 얼굴을
치켜들고,

고작 뱉는 말이
그런 것이라…?

어림없는 소리!

타

악

…착각하지
않는 것이
좋을 것이다,
2황자.

네게 감히
거부권이 있다
생각하느냐?

올해 건국제는
무엇보다
특별하다.

아, 그러고 보니
그 여식을
근 삼 년 만에
다시 보게 되던가.

어찌 자랐을지
궁금하긴 하군.

제국의
4대 대영주는
물론이거니와,

훈장 수여를 위해
롬바르디의 삼남과
그 일가 역시
참여할 예정이니…

나이도 엇비슷하니,
이 기회에
아스타나와 친분을
만들어 주는 것도…

참석하겠습니다.

이 녀석 봐라?

아스타나의 이름이 나오니, 눈빛이 달라지지 않았나.

아무리 무심한 양 굴어도 제 감정을 다 숨기지 못하는 걸 보니, 어리긴 어리군.

권력을 향한 탐욕이라….

그래, 그래야지.

…네놈, 이제 보니 나를 제법 닮았구나.

?!

무슨….

그래,
그날 네가
내 옆에 서는 것은

내가
인지하고, 지지하는
황자가 아스타나
하나만이 아님을

제국민들 모두가
알게 된다는 뜻이다.

알아들었으면
물러가 제대로
채비를 하거라.

꾸벅

건국제 날,
너는 황위 계승권자라는
이름에 부끄럽지 않은
모습을 보여야 할 테니.

황작을
욕심내는 것이야말로
황족의 숙명.

짓밟혀 죽기 싫다면,
아스타나와 서로
물고 뜯으며 싸워라.

룰락이 네 뒤를
봐주고 있다 해도
그것은 어디까지나
황실과 롬바르디의
거래의 산물.

네놈의 미래야
뻔할 테지만

저 녀석의 존재만으로도
앙게나스와 그 일파들은
내 눈치를 보지 않을 수
없을 터.

그 혼란이
내 자리를
더욱 견고하게
만들 것이다!

하하
하..

황자님!

황자 전하!
좀 천천히
가십시오.

대체 폐하와
무슨 말씀을
나누셨길래,
이리 서두르시는지….

건국제 연회에
참석해야 해.

준비해 줘.

예?
연회요?

아니,
이렇게 갑자기….

화,
황자 전하.

그렇게 빨리
뛰시다간
넘어지십니다아~!

아아~

이제 곧….

이제 곧,
너를 만날 수 있어,
피렌티아…!

3일 후,
건국제 저녁.

향아..
심심해.

대체 언제까지
기다려야
하는 거야?

벌써 한 시간은
이러고 있었던 것
같은데…

…어?

애야,
제대로 앉아야지!

그치만
엄마.

방금 엄청 크고,
멋있는 마차가…!

도착했습니다, 가주님.

수고했네.

롬바르디의 마차다….

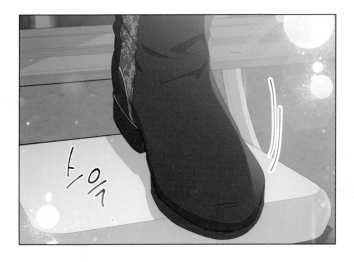

장남이… ♪
아니네요?

늘 참석하던….

아이참, 이야기
못 들으셨어요?
이번 건국제에서….

아아,

그렇다면
저 사람이 그
'갤러한 의복점'의…

세상에,

저 아이 좀 봐요.

저 아이가 바로 그 갤러한 롬바르디의 딸인가?

역시 롬바르디는 짱이야…!

연회에 참석하기 위해 황성까지 늘어선 마차들의 대열에는

분명 나름 세력이 있는 귀족 가문들도 적지 않을 텐데….

황실 연회장 코앞까지 이렇게 프리 패스로 도착할 수 있다니!

우리 딸, 오늘 정말 너무 예쁘구나.

오늘 연회에서는 네 아비와 내 옆에만 딱 붙어 있으면 된다.

이상한 놈들이 말을 걸면 무시하고,

…그래도 귀찮게 굴거든 발로 뻥 차 버리거라!

뒤처리는 모두 이 할애비가 해 줄 테니.

녀석, 왜 이리 귀여워서는….

네! 할아버지!

꼬

옥…

…외동딸이라죠?

소곤..

소곤..

지금으로선 갤러한 의복점의 유일한 상속자죠.

저 옷은 어느 디자이너의 작품일까요? 참 귀엽네…

소곤

이제까지 롬바르디의 가주가 직접 대동하여 연회에 참석한 후계가 있던가?

허걱

허걱

저 옷에 달린 보석 좀 보게.

요즘 제국의 돈은 롬바르디와 갤러한 의복점이 다 쓸어 간다더니…

벌썩

내 셋째 아들 녀석이 마침 비슷한 또래인 것 같은데, 어디 한번…

모두 이쪽을 주목하고 있군.

70

이 모습은 로릴이 새벽부터 심혈을 기울여 꾸며 준 결과이다.

신이시여, 이 역작을 정녕 제가 완성했단 말입니까.

진정해, 로릴.

그래, 바로 이 순간을 위해…

…응?

우리 아빠를
보고 있잖아?

잠깐,
지금 이 시선들은….

우리 딸,
아빠가 도와줄 게
있니?

내가 아니라…

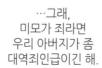

…그래,
미모가 죄라면
우리 아버지가 좀
대역죄인급이긴 해.

하지만 이래서야
내 원대한 계획이….

차라리 아버지 옷도
같이 꾸미자고
우겨 볼걸 그랬나?

꺄아,
리시아 영애께서도
쓰러지셨어요~!

휴게실로
모셔라, 어서!

또각..

또각..

…이런.

또각..

오늘 연회의
주인공이 왔군요.

또각..

오랜만에 뵙습니다,
롬바르디 가주.
그리고…

갤러한
롬바르디 공.

빙긋

4화

오랜만에 뵙습니다,
롬바르디 가주.

그리고…
갤러한 롬바르디 공.

이렇게 아름답고
성대한 연회를
준비해 주어서
고맙습니다, 황후.

후후..

롬바르디의
갤러한 공께서 훈장을
받게 되었는데,

이 정도는
황실의 일원으로
마땅히 해야 하는
일이지요.

어떻게 된 거지…?
앙게나스와 롬바르디는
앙숙 관계 아니었나?

얼마 전
귀족 회의에서도
앙게나스 측 주장을
롬바르디 가주가
무산시킨 일로

앙게나스 가주의
심기가 한참을
불편했지 않았는가.

그런데…
황후 마마께서
어째서 먼저
롬바르디에게…

그러고 보니,
과거 갤러한 공은
앙게나스가와 함께
사업도 벌인 것으로
아는데.

그렇다면
가문과는 별개로,

두 분의 사이는
듣던 것만큼 험악하지는
않을지도 모르겠군요.

못 본 사이에
많이 컸구나,
피렌티아.

몇 년만 더 지나면
아름다운 롬바르디의
아가씨 이야기로
온 사교계가
들썩거리겠어.

감사합니다,
황후 마마.

뜨악...

뭐야, 대체
무슨 생각인 거지?

설마,
그사이에 사람이
개과천선했을 리는
없고…!

롬바르디의 아이들은
예로부터 혼처를 빨리
정하는 편이라지요.

피렌티아는
어떤가요?

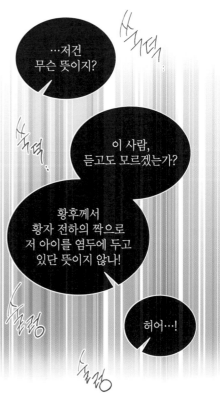

…저건
무슨 뜻이지?

이 사람,
듣고도 모르겠는가?

황후께서
황자 전하의 짝으로
저 아이를 염두에 두고
있단 뜻이지 않나!

허어…!

…그럼 그렇지!

아버지의 위상이
전보다 훨씬 올라갔으니,
이제 협박 대신 이런 식으로
개입하겠다 이거지.

그것은…!

…그것도
옛날이야기지.

내 아이들은
그럴 필요가
없다오.

할아버지…!

무슨 일이든
성급히 결론짓는 건
좋지 않지요.

모쪼록
시간은 많으니….

황제 폐하께서
드십니다!

…어어,
저 아이는 설마?

윙성

설마,
소문의 그…?!

웅성

엥?!

쟤가 왜
여기서 나와?!

턱

꿀꺽

…클레리반이
그랬지.

페레스가
포이락 궁으로
이동한 뒤,

앙게나스의 세력이
황제에게 공공연히
면박받는 일이
잦아졌다고.

하지만
그럼에도 불구하고,

페레스는
공식 석상에 모습을
드러내지 못하고
숨어 지내야 했어.

앙게나스와 황후가
2황자의 존재를

귀족들의 인식으로부터
멀어지게끔 하기 위해
온갖 노력을 기울였기
때문이었겠지.

그런데
황제가 직접 페레스를,
그것도 건국제 행사에
대동하고 나타났다는 것은

모두의 앞에서
2황자의 후계권을
정식으로 인정하겠다는
말인 동시에,

앙게나스와
황후의 의사를
정면으로 무시하겠다는
의미이기도 해.

그리고 지금
황후의 반응을 보면,
이 일은 분명 사전에
합의되지 않은 일이겠지.

…조심해야지.
이때 괜히
눈에 띄기라도 하면.

아….

티…

웃지 마!

아는 척 NO!

절레 절레

……!

아,
안 돼!!!

웅지,
잘한다…!

그래,
황후가 지금 여기서
우리 사이를 안다면

날
찢어 죽이고도
남을 거라고.

짜작

짜작

짜작

짜작

성큼

갤러한!

성큼

훈장 정도는 내려야 내게 얼굴을 보여 주는 게냐!

아하하!

황공합니다, 폐하.

그래도 이리 얼굴을 보니 즐겁구나.

가주께서도 정정해 보이시니 참으로 좋습니다.

화기애애~

이런, 매주 귀족 회의에서 저를 볼 때면 이마부터 짚으시더니,

이런 자리라고 저를 이리 챙기시는 겁니까.

와하하하

저것도… 모두가 보는 앞에서 의도적으로 황후를 배제하는 행동이겠고…

왜

또각

또각

사

아

…뭐,
이렇게나 노골적인
배척에도 저렇게
금세 스스로를
다잡는 걸 보면

황후야말로
정말 무서운
사람이겠지만.

황제도 참
교활한 사람이야.

빤이...

하.

하아..

응?
페레스?

아는 척 말랬더니
계속 저렇게
보고 있었던 거야?

헐마..

활당..

아이고,
이녀석….

오, 그러고 보니
네 딸도 함께
왔구나.

나를
기억하느냐?

오랜만에 뵙습니다, 폐하.

다다닷··

그래, 그래. 정말 많이 컸구나.

예의도 아주 바르고···.

그래, 이 녀석은 내 둘째 아들이란다. 페레스라 하지.

마침 또래이니 둘이 인사라도 나누는 게 어떻겠느냐.

피렌티아 롬바르디입니다. 제2황자 전하.

···페레스 브리바차우 듀렐리.

…하여 나, 요바네스 카나보앤 램브루 듀렐리는 이 훈장을 그대에게 수여한다.

그리고 한 가지 더….

그대의 과업이 이 제국의 어리고 가난한 백성들의 삶을 보살피고자 하는

나의 의지에 이바지한 바가 크다.

따라서 그 수고를 기려, 갤러한 롬바르디에게 그에 알맞은 **특별한 선물**을 내리기로 했노라.

특별한 선물?

슈아...

촤

악!

오늘부로,
갤러한 롬바르디를

체사유의 주인으로
선포한다.

5화

오늘부로,
갤러한 롬바르디를
체사유의 주인으로
선포한다.

뎅!

체사유?

아니 그런!

웅성...

설마...

웅성...

영지
수여라니...

건국제 훈장이
특별하다지만,
훈장은 훈장.

어디까지나
명예에 불과하다.

따라오는 보상 역시
상금 몇 푼에
불과한 것이 보통인데.

개국 공신도
아닌 이에게 영지,
그것도 체사유 지역이라니?
그 땅은...

체사유라면
남부의 곡창 지대 중
한 곳이 아닌가.

대영주가
훈장 수여식을 위해
가문의 땅을
내놓았다고?

아무리
서셔우라 한들 이건...
황실의 강압이
있는 것은...

하, 하지만
따지고 보면 그리
이상한 것도 아닙니다.
왜, 서셔우가와
롬바르디가는
바로 그...

폐, 폐하의 뜻을 받들어 잘 보살피겠습니다.

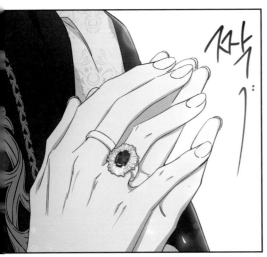

비걱~..

비걱~..

츠윽...

아빠!

티아야…

아빠가…
이렇게 좋은 걸 받아서
어떻게 하지….

어쩌긴,

감사합니다, 하고
잘살면
되는 일이지.

서셔우.
제국 서부에서 남부로
흘러가는 녹타 강의
하역을 중심으로 발전한

제국 제일의
곡창 지대이자,
직물 생산 지대의 주인.

그리고….

자, 피렌티아.
숙모 할머님께
인사드려야지?

안녕하세요,
서셔우 부인.

피렌티아
롬바르디라
합니다.

내 할머니,
나탈리아 롬바르디의
출신 가문이기도 하다.

가주, 그것도
'4대 대가문'의 수장이라면
마땅히 자신이 이뤄낸 것에
대한 자긍심이 높은 법.

그러니 친족으로서의
친근함보다는
공적인 호칭으로
부르는 것을 선호할 거라
생각했는데.

역시,
내 생각이 맞았어.

그래, 그래.
갤러한 네 딸이라
그런가,

이 아이도
베트릭스를
많이 닮았어.

아니, 아닙니다.
피렌티아가 저보다
백배는 낫지요.

부끄..

ㅋ

107

…누가 애비 아니랄까 봐. 내 앞에서 자식 자랑을 하는 게냐.

아아!

수, 숙모님. 그게 아니라….

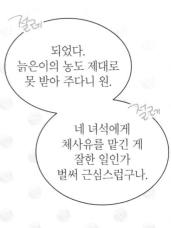

되었다. 늙은이의 농도 제대로 못 받아 주다니 원.

네 녀석에게 체사유를 맡긴 게 잘한 일인가 벌써 근심스럽구나.

숙모님….

제국법은 여자가 '가주'가 되는 것을 금지하고 있지 않지만

실제 여가주는 어디까지나 극히 드문 특이 케이스로만 존재한다.

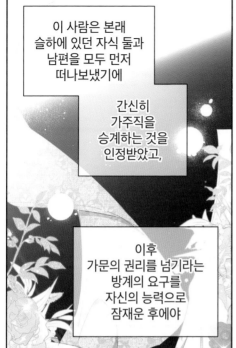

이 사람은 본래
슬하에 있던 자식 둘과
남편을 모두 먼저
떠나보냈기에

간신히
가주직을
승계하는 것을
인정받았고,

이후
가문의 권리를 넘기라는
방계의 요구를
자신의 능력으로
잠재운 후에야

지금의 자리를
굳힐 수 있었다.

훗날 '여가주'로서
롬바르디를
이끌기 위해서는

서셔우 부인을
롤 모델로 삼는 것이
좋을지도 몰라.

반짝

반짝

그나저나…

참
예쁜 옷이구나.

듣자 하니
이 또한
'갤러한 의복점'의
옷이라고?

네! 오늘은
아빠에게 좋은 일이
있는 날이니까요.

아빠가 만든 옷에,
제가 직접 장식을
달아 꾸며 봤어요.

나짝!

…직접 옷을
'꾸몄다'?

네에,

저… 혹시 이상한가요?

특히 이곳…

서셔우 산 실크를 이리 활용하다니.

…아니. 무척 예쁘구나.

화려하게 수 놓인 실크를 옷단 귀퉁이에 박아 넣는 방식.

이건 본래대로라면 3년 뒤쯤 나와, 전 제국 귀족들의 유행이 되었을 것이었다.

'서셔우 부인이 고안한 아이디어'로 말이야….

하하….

미래의 아이디어를 훔쳐서 죄송합니다. 하지만 나쁜 뜻이 있는 건 아니니 한 번만 봐주세요.

네 딸아이의 솜씨만 봐도, 우리 서셔우에서 생산되는 실크와 네 기성복은

아주 좋은 조화를 이룰 수 있을 것 같은데….

아, 숙모님. 그것이….

어떠냐, 갤러한.

잠깐!

그 옷에 붙은 보석은 우리 아이반의 광산에서 나온 에메랄드요.

동.

아니, 아니.
단을 장식하고 있는 레이스는 동부의 특산품이지.

두둥!

귀공의 따님께서 머리에 장식하고 계신 것은 저희 북부의 금속 공예 기술로…

북적

진정하시고 한 분씩…

북적

좋아, 좋아.
다들 제대로 미끼를 물었구나.

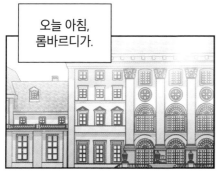

오늘 아침,
롬바르디가.

완벽해요.

나, 고급스러워 보여?

크흡..! 그걸 말이라고 하세요?

줄줄...

줄...

아가씨, 최고!

반짝...

반짝...

여기 붙은 에메랄드 하나만 해도 얼마인지~.

불끈!

단언하건대, 오늘 연회에서 아가씨만큼 좋은 드레스를 입은 영애는 없을 거라고요!

하앙.. 고마워, 로릴.

평범~

무난~

하아...

...정말 처음 아가씨께서 장식 하나 없는 치마를 들고 와

이제부터 꾸미겠다고 하실 때는 눈앞이 다 캄캄했는데….

이렇게나
예쁜 옷으로
재탄생 할 줄이야.

정말
놀랍다니까요~.

그런데,
왜 굳이 이런 수고를
하신 건가요?

처음부터
이 디자인으로 드레스를
만들어 달라고
재봉사에게 주문을
넣었다면

훨씬 빨리
완성할 수
있었을 텐데.

로릴은
뭘 모르는구나.

이 옷은
말이야….

6화

지난 3년,
갤러한 의복점은
제국 전역에
분점을 냈고,

그 공로를 인정해
훈장을 내릴 만큼

이제 기성복은
평민의 일상이 될 정도로
제국 사회에 깊숙이
스며들었다.

널리 성공한
저가 사업의
다음 단계가 뭐겠어.

그건 바로,
'고급화' 전략!

오늘 내가 입고 온 옷이 갤러한 의복점의 생산품이라는 것,

그리고 이번 신작은 꾸미기에 따라 제국 최대의 연회, 건국제에 입고 오기에도 손색 없을 만큼

고급스러운 옷이 될 수 있다는 것.

이쪽의 대화에 관심을 두었다면

어지간한 눈치가 없지 않고서야 알아차릴 수밖에 없겠지.

갤러한 의복점의 다음 행보를 말이야!

잠시, 잠시만 기다려 주십시오.

저희 의복점의 실무자는 사실 제가 아니라….

저백

저백

대외적인 업무는 대개 제가 승인하고 있으나,

아, 저기 있군요. 클레리반 님!

저희 의복점의 실질적인 업무는 대부분 클레리반 님께서 담당하고 있으니,

질문이 있으시면 부디 이쪽으로 해 주시면 감사하겠습니다.

끔뻑

호오, 그렇군. 이보게, 저쪽으로 가서 포도주라도 한잔하지 않겠나.

슥…

포도주보다는, 내 루만에서 직접 가져온 좋은 장미주가 있소만….

쩍!

잘해, 클레리반!

맡겨 주십시오, 피렌티아 님.

저쪽으로 가세!

ㅎ아 ㅎ아 ㅎ아

···그리고 보니, 이쪽은 온통 어른들만 있어 피렌티아가 재미가 없겠구나.

네 나이에 이런 자리에 오는 것은 드문 경험일 테니,

연회 구경이라도 한 바퀴 하고 오지 않으련.

또래 친구를 사귀어도 좋을 거란다.

···호오, 이건.

시끄러운 가주들은 죄다 클레리반에게 딸려 보내고,

아버지와 마지막까지 이야기를 해 보시겠다?

방긋!

네!

아빠, 저 놀다 와도 돼요?

으응? 그래. 위층은 가지 말고, 이 안에서만 돌아다니렴.

…정말 예쁜 아이구나.

숙모님께서 보시기에도 그렇죠?

저 옷을 제 손으로 꾸몄다는 걸 보니 감각도 있어 보이고….

그래, 제 아비는 닮지 않은 듯하니 다행이로구나, 다행이야.

수, 숙모님…? 제가 어디가 어때서….

다들 티아를 보면 저를 똑 닮았다고 하는걸요.

너같이 물렁한 녀석과 저 아이가?

아서라, 너와는 근본이 달라.

그래, 오히려 닮았다면…

제 어미 쪽이겠지.

샨, 이었더냐.
저 아이 어미의
이름이.

쓰음.

갤러한.

제 딸아이라
하는 말이 아니라
정말 똑똑한
아이입니다.

아!
지난번에는 말이죠.
저 아이가 제게⋯.

단호

팔불출은
보기 안 좋다.

헙…!

…큰 사업을
벌였다기에 담이 좀
커졌나 했더니,

물렁한 건
여전해.

수, 숙모님….

엌울..

하앙.

다 커서 이렇게
동동거리는 모습이
특히 말이다.

어쩌다 나탈리아의
유약한 면모가
다 이 녀석에게
갔을꼬….

그리고….

아아…

샤나넷이야
오늘 갑자기 아이들이
열감기에 걸렸다지만,

비에제와 로렐스는
어째서 보이지
않는 게냐.

아 그게….
형님들은 일이
많으셔서….

어!
일이 많긴 무슨.

네 녀석이 주목받는 모습 보기가 복장이 터지니 애초에 오지도 않은 것이겠지!

로렐스 녀석이야 제 형 심기 거스를까 두려워 벌벌 떨었을 테고.

하여튼 못난 놈이야.

제 동생 잘되는 꼴 보기가 그리도 배 아프다더냐.

숙모님, 그런 말씀은….

네놈들이 코흘리개 적부터 봐 온 게 나다.

속일 생각은 말거라.

찔 끔

빠 빠 삘

비에제 그놈은 조막만 할 때부터 싹이 아주 노랬다.

하아…

다 어릴 적의
이야기지요.

어찌나
욕심이 많던지,
너와 로렐스 몫으로
주었던 쿠키까지

제 입속에
죄다 구겨 넣다
턱이 빠지기도
했더랬지.

남부 구석 영지에
처박혀 있다고 소식까지
느린 건 아니란다.

너희 형제들은
그때와
달라진 게 없어.

…그러니,
갤러한.

…예,
숙모님.

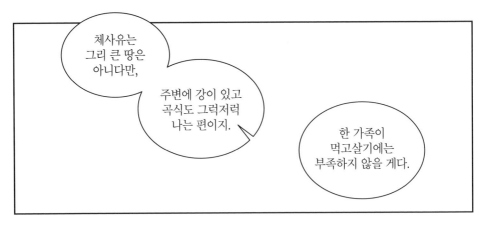

체사유는 그리 큰 땅은 아니다만,

주변에 강이 있고 곡식도 그럭저럭 나는 편이지.

한 가족이 먹고살기에는 부족하지 않을 게다.

…아니, 남부의 곡창 지대를 무슨 시골 장원처럼…

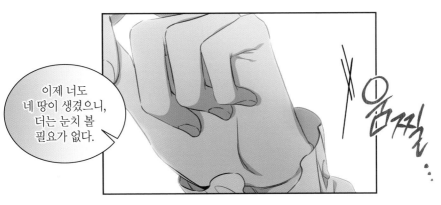

이제 너도 네 땅이 생겼으니, 더는 눈치 볼 필요가 없다.

움찔…

…네가 아무리
단단해진다 한들,

그러니,
때가 되면 너는
딸아이를 데리고
체사유로 오거라.

아이가 자라기에도,
따뜻한 남부가
낫지 않겠니.

형,
나도….

내 거야!

네 혈육들을
물어뜯으면서까지
기어 올라갈 녀석은
되지 못하지.

쩌엉—…

숙모님….

정말… 정말로
감사합니다.

꾸벅

ㅎㅎ
공짜 아니다.

…예?

정 그리
고맙다 하니,

네 의복점의
다음 상품에는
서셔우의 실크를 제대로
활용해 보자꾸나.

지나치게
더운 서부나
추운 북부 쪽은

그에 맞는 직물과
지역의 스타일을 따로
연구해야 하지만

남부는 기온이 따뜻해
황도와 비슷하니,
기본 디자인들을
뽑아내기도 편하다.

게다가
서셔우 지방의 실크는
'최상품 그 자체'.

얇고 부드러운 천은
활용도가
무궁무진하니,

부인의 협력만 있다면
'고급화'의 폭이 훨씬
넓어질 수 있을 거야.

게다가
이러니 저러니 해도
처음 시도하는
분야에서는

혈연이든, 지연이든.
뭔가 믿을 수 있는
끈이 있는 사람의
손을 잡는 게…

?!!

안녕,
티아.

다음부터는
손수건에 쪽지라도
말아서 시종에게
전해 달라고
하란 말이야.

손수건에…
쪽지…

끄덕

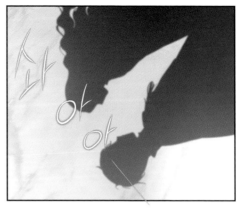

쏴

아

아

…정말
오랜만이야.

페레스.

7화

향아.

편지에서는
이렇게까지 키가 컸다는
말은 없었잖아.

나…
너무 커졌어?
좀 줄일까?

삑삑…

이미 큰 키를
무슨 수로 줄여.
너도 참
실없는 소리한다.

진지…

조금 덜 먹고
잠도 줄이고….

꾹참!

됐어. 그런 것보다는
네가 편하게 있는 쪽이
더 좋으니까.

근데…

진짜
잘 지냈나 보네.

네가 말한 대로
잘 먹고,
잘 배우고 있어.

틈틈이 책도 읽고,
검술 연습을
특히 열심히 하고….

잘했어!

3년 전을 생각하면
정말 윤기가 좔좔
흐르는구만.

잘했으니까,
칭찬.

아, 키가….

이 녀석은,

황족씩이나 되어서 이렇게 쉽게 머리를 내주면 어쩌려고….

뱅긋.

잘했어, 페레스.

정말 잘했어.

쓰담

쓰담

쓰담

무슨 남자 녀석 머리카락이 이렇게 좋담.

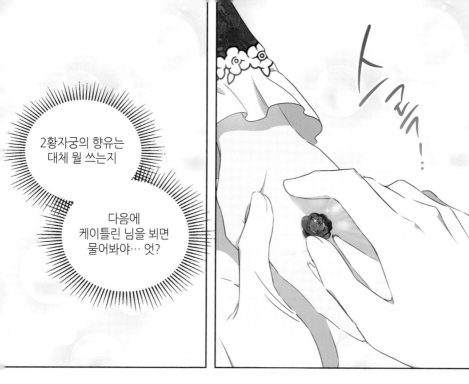

2황자궁의 향유는
대체 뭘 쓰는지

다음에
케이틀린 님을 뵈면
물어봐야… 엇?

어…?

선물.

꽃…인 것
같은데,
왜 딱딱하지?
설마―

이거…
루비야?

끄덕

어어엉!

응.

찬찬~

응이
아니잖아!

이 투명도!
이 색상! 이게 대체
얼마짜리야…?

어디서 이런 걸….
아니, 잠깐.

만지작..

너…

너 설마
이거 네가 직접
조각했어?!

핫…

응,
너 주려고.

아니,
매일 검술에
공부하기도
바쁠 녀석이

왜 할 일 없이
이걸 조각하고
있는 건데?!

그… 일단 고마워!
진짜 고마운데!

네가 도대체
무슨 수로 이걸….

빼니..

세상에..

작은 칼에
오러를 입혀서
조금씩?

오러로…
조각을….

처언덕~

왜 그래, 티아? 혹시 마음에 안 들어…?

그게 아니라, 나한테는 좀 과하…

하아…

잠깐, 내가 부담스러울 이유가 있나?

요 녀석이 지금 이렇게 잘 먹고 잘 지내는 건,

다 3년 전에 내가 죽도록 수고한 덕분인데.

나중에 이 녀석이 황태자가 되고 황제가 된 후

이 루비의 가치는 그야말로 천정부지로 치솟겠지.

황제 폐하께서
왕년에 손수 조각하신
보석 꽃이라니…!

…진 않은데,

자세히 보니
너무 예뻐서
그랬어.

파앗-

아….

그럼….

괜찮다면,
내가 걸어 줘도
될까?

주섬

주섬

짠~

이 자식도
준비성 철저하네!!!
그런 건
언제 챙겨 뒀냐!

이것도
황족 특성인가.

축하의 의미로
내가 직접
걸어 줘도 될까?

내 거라며?
해 주면 좋지.

그러게,
너 솜씨 좋다.

중얼

그런 뜻
아닌데….

응?

절레

아, 아니.

예쁘다….

…있잖아.

우리,
가끔 볼 수 있는
방법이 없을까?

물결렁.

이제 곧
네 생일이니까.

별일이네.
케이틀린은 페레스가
속내를 잘 말하지
않는다 했는데.

앞으로는
너와…

이렇게 직접 보고
이야기를 나눌 수 있으면
좋을 것 같아서.

이렇게 원하는 걸
직접적으로
표현해 올 줄은….

음…
편지하잖아?

편지로는
전할 수 없는 것들도
있으니까.

앗…!

누가 편지를 볼까 봐
중요한 이야기를 쓰기
꺼려진다는 거구나.

걱정 마,
페레스.

케이틀린은
함부로 네 편지를
열어 볼 사람이
아니고,

빵긋

또 황궁에서
롬바르디까지 매번
롬바르디의 마차를
타고 왕래하니까

누가 채 갈
염려도 없어.

…그래, 네가
그렇게 말한다면.

그나저나,

연회에서 너무
오래 나와 있어도
곤란한데….

케잌...

탁!

소곤..

함께 있는 게
사람들의 눈에 띄면
안 되니 먼저 나가.

목걸이는
넣어 둘게.

끄덕..

저어….

안녕하세요,
피렌티아 님.

저는 거스가의
패트리샤, 이 아이는
제 여동생인….

헤일리
거스입니다.

반짝

반짝

오, 왔구나!

처음 뵐게요.
피렌티아
롬바르디입니다.

방긋

159

화들짝!

마, 말을 낮추세요.

롬바르디의 영애께서 이러시면….

아!

거스라면 녹타 강의 중부에서 루만과 남부를 연결하는 중요한 영지잖아요.

흠…

거스가라면 분명 동부 루만가의 가신 가문이었지. 그리고…

저희 아버님께서 받으신 영지도 녹타 강의 하역에 있으니

두 분과 제 사이가 그렇게 어려울 필요는 없다고 생각해요.

수줍

무엇보다 저는 이런 자리가 처음이라…

부디 편하게 대해 주시겠어요?

어머나….

그럼요, 그럼요. 뭐든 물어보세요. 제가 도움 될 수 있다면….

어, 언니….

그러고 보니, 하실 말씀이 있는 것 같은데….

지금 입고 계신 드레스가 너무 예뻐서요.

혹시 실례가 아니라면, 어느 의상실의 작품인지 여쭤봐도 될까요?

아! 이런, 죄송해요. 다름이 아니라….

이거지.

오늘의 내 목적은
'모델'이
되는 것이다.

거기에,
건국제 연회만큼
적격인 장소가
어딨겠어?

알려 드리고 말고요,
어려운 일도
아닌걸요.

이 옷은….

가장 먼저 갤러한 의복점과
협업을 원하는
'투자자'들에게 정보를 주고,

그다음으로
고급 의류 '소비자'들의
흥미를 끄는 것.

그, 그럼 이 옷이 기성복이란 말씀이세요?!

이렇게 예쁜데요?! 말도 안…

후후…

감사해요.

이 드레스는 기성복이긴 하지만, 제가 직접 꾸민 것이기도 하거든요.

여러분께서 예쁘다 해 주시니 제 안목을 칭찬받는 것 같아 무척 기쁘네요.

저, 정말로 직접….

실례가 되지 않는다면 조금 더 자세히 봐도 괜찮을까요?

잠깐만요!

그 드레스, 롬바르디의 영애께서 직접 꾸미셨다고요?

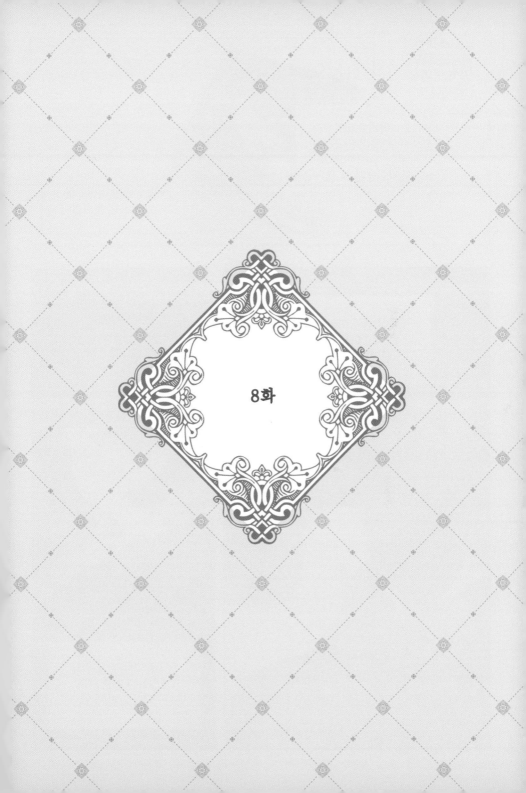

8화

[황금 새 이야기] 지금으로부터 약 10년 후에 나왔다가,

아비노가의 항의로 인해 반년 만에 판매가 금지되었던 그 책은

실제 있었던 이야기를 모티브로 쓰인 동화였다.

몰락한 귀족 아가씨로 태어난 아름다운 금발의 소녀는

굶주린 가족들을 위해 노래하는 황금 새가 되기로 한다.

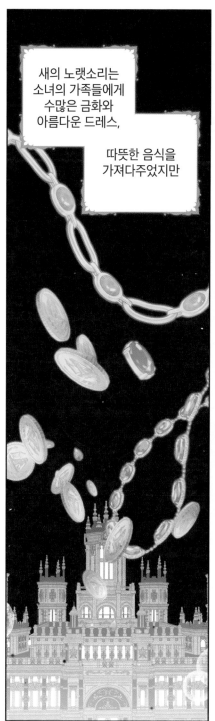

새의 노랫소리는
소녀의 가족들에게
수많은 금화와
아름다운 드레스,

따뜻한 음식을
가져다주었지만

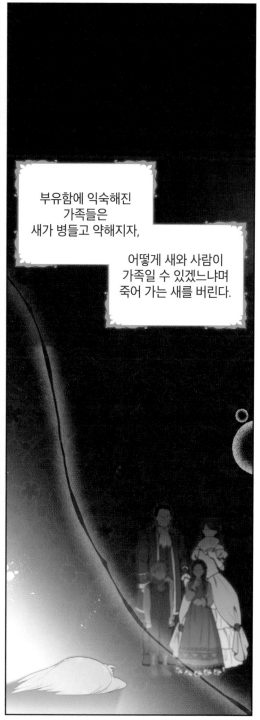

부유함에 익숙해진
가족들은
새가 병들고 약해지자,

어떻게 새와 사람이
가족일 수 있겠느냐며
죽어 가는 새를 버린다.

줄리에타 아비노.

'황금 새'의 소녀.

…영애?

제 말이 들리지 않으시나 보죠?

아니, 아니에요. 그저….

아비노의 큰 영애는 참 무례하시네요.

맞아요. 먼저 인사도 드리지 않고, 이게 무슨 실례인가요.

잠깐만요, 저는…

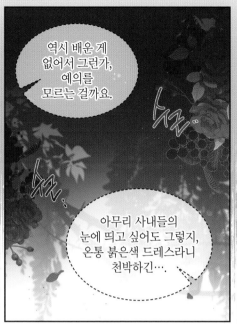

역시 배운 게 없어서 그런가, 예의를 모르는 걸까요.

아무리 사내들의 눈에 띄고 싶어도 그렇지, 온통 붉은색 드레스라니 천박하긴….

귀족의 신분도 잊고 세상 사람들의 구경거리가 되겠다 나선 것도 모자라,

이제는 눈먼 후원자라도 하나 잡으려는 모양이죠?

저 낡은 소매 좀 보세요. 명예를 팔아서 번 돈은 다 어디에 쓰고 저런 꼴로 이런 자리에 나온 걸까요.

지금…

너무 예뻐서요!

줄리에타 님의
목소리가
너무 예뻐서….

그래서 잠시
넋을 놓았어요.

혹시
기분 나쁘셨다면
사과드릴게요.

무슨,

나를
놀리는 건가요?!

그럴 리가요.

연회에서 혹시
뵐 수 있을까 했는데,
먼저 다가와 주실 줄은
몰라서….

실은, 줄리에타 님의
이야기를 듣고
꼭 한번 만나 뵙고
싶었어요.

고모님께서
줄리에타 님의
공연을 들으시고

줄곧
칭찬하셨거든요.

그렇게 아름다운 노랫소리는 처음이었다고요.

고모님이라면 설마, 샤나넷 님?

세상에, 혹시 아비노가 아직 후원자를 두지 않은 이유가 롬바르디라면…

그, 그건 너무 억측이지 않을까요?

하지만 샤나넷 님이라면 허튼소리를 하실 분이 아니잖아요.

고모님, 함부로 이름을 가져다 써서 죄송합니다.

하지만 사람 하나 살린다 치고, 딱 한 번만 봐주세요.

줄리에타 님. 혹시 괜찮으시다면…

빤…

갤러한 님께서
제게 후원을…?

후원일까요?
제가 들었던 건 조금
다른 것 같은데….

갸웃

아, 클레리반
선생님!!

…피렌티아 님?
무슨
일이십니까.

선생님, 지난번에 아빠가요,

준비 중인 새 기성복 라인을 널리 알려 줄 사람이 있었으면 좋겠다고 하셨잖아요.

네?

두둥~

지

굿

아….

아아, 그랬습니다. 네, 분명 그렇습니다만….

잘됐다!

그럼 줄리에타 아비노 님은 어떨까요?!

예…?

저, 오페라 무대의 의상들은 정말 아름답고, 멋지다고 들었어요.

그래서 아빠가 생각하시던 조건에 딱 맞다고 생각하는데….

177

혹시
아닐까요…?

잠깐
'무대' 의상…?

과연…!

아니, 아닙니다.
맞습니다.   마침
갤러한 님께서도
그쪽을 염두에 두고
계셨습니다.

역시 클레리반.
3년쯤 되니 이젠
이심전심이
따로 없다니까.

자, 잠깐만요.
저는,

그러니까 아직
하겠다고
한 것이…

줄리에타
아비노 님.

178

...이, 일단
조건을 듣고
생각해 보죠.

물론입니다.
긍정적으로 생각해 주시는
것만으로도,

저희 의복점에는
큰 기쁨입니다.

…무조건 좋게
보겠다는 뜻도
아니고요.

물론,
모든 조건들을
세심히 검토하신 후에
결정하시길….

…사실 나는,
황금 새 이야기를
좋아하지 않았다.

누군가의 비극을,
그런 식으로 소재화하는 것
자체가 옳지 않다
생각했기에.

줄리에타 아비노.
가난한 가문을
부양하기 위해

귀족 여성이
사람들의 앞에서 재능을 팔아
돈을 번다는 충격을
사교계에 선사한 여자.

그 빛나는 재능과
화려함 만큼은 누구도
부정할 수 없었기에,

귀족들은
줄리에타를
멸시하면서도

뒤돌아서서는
그녀가 입은 옷과
장신구, 스타일 등을
사 모으는 데 바빴다.

그런 줄리에타를,
황후가 눈여겨보지
않을 리가 없었지.

버는 돈을 모두
가족들에게 써야 했던
줄리에타는

자신을 경멸하는
귀족들의 사이에서

친절한 후원자의
가면을 쓰고 다가온
황후의 제안을
거절할 수 없었다.

끝내 줄리에타의
미모도,
빛나는 재능도,

전부 앙게나스의 세력을
견고히 하는 체스 말로
전락하게 되었다.

견디지 못한
줄리에타의
죽음 후에야

그녀의 사연과
가문의 뻔뻔한 행태가
밝혀졌지만….

살아서는 악녀,
멍청한 여자,
천박한 여인이라
손가락질을 받고,

죽어서야 비로소
연민의 대상이 되었던
줄리에타 아비노의 삶.

…그러고 보니,
줄리에타가 황후의
후원을 받게 된 것이
이번 건국제 직후였던가?

곰곰…

응

으음-

저어, 피렌티아
롬바르디 님.

피렌티아 님께서는
아직 어려 잘 모르겠지만…
아비노가의 영애는
조금….

빌빌쭉

왜 저런 사람에게
그런 친절을
베푸시는 건가요?

갤러한 의복점의
의복 지원이라니요.

게다가
드레스까지.

동정이라 해도
너무 과분해요.

호오···
이것 봐라?

동정이라니,
그런 거 아니에요.

그럼요?!

저는 다만, 저렇게
아름다운 분께서

보다 자신을 빛내 줄
옷을 만난다면
또 얼마나 아름다우실지
보고 싶은 것뿐인걸요.

피렌티아 님은 너무 착해요!

아비노가의 영애가 그 은혜를 알긴 할까요.

조잘

조잘

운이 좋기도 하지. 돼지 목에 진주일 텐데….

그래, 이건 결코 동정도, 자선 사업도 아니야.

자존심 강한 귀족들조차 멸시하면서도 결코 외면할 수 없게 만드는 그 존재감, 그 화려함, 그 재능.

먼저 손에 넣지 않으면 멍청한 짓이지.

이번 생, 황금 새는 올바른 가지 위에 앉아 훨훨 날아가게 될 것이다.

나 조금 천재가 아닐까.

줄리에타와 마주치자마자 바로 스카우트할 생각을 떠올리다니.

크으, 내 순발력....

응

피렌티아 롬바르디 님.

?

룰락 롬바르디 님께서 피렌티아 님을 모셔 오라 하셨습니다.

위층으로 모시겠습니다.

황제와의 대화가 대강 마무리되어 가시나 보다.

그럼 잠시 자리를 비울게요, 여러분.

다녀오셔요, 피렌티아 님.

허어…?

187

9화

필요한 것이
있으시다면
종을 울려 저희를
불러 주십시오.

폐하와 롬바르디의
두 분께서는
저 안쪽 방에서 담소를
나누시는 중이니,

귀빈께서는 잠시
이곳에서 쉬고
계시면 됩니다.

그럼….

이야기가 다 끝나서
부르는 거라고
생각했는데,

할아버지….
연회가 처음인
내가 지칠까 봐
배려해 주신 걸까?

흐아…
피곤하다.

그런데…

대체 무슨
이야기를 하고
계신 거지?

황제와
롬바르디 가주 간의
대화라니….

들어 두면 앞으로의
구상에 완-전 도움이
되지 않을까???

사삭—

이번 —.

그러면 —
…….

흠…

으음—

잘 안 들리네.

사르륵…

조금 더….

널컥…!

?!

누구지?
이렇게
노크도 없이—

으액

!

뭐, 뭐야.

이 자식이
왜 여기 있어???

야.

어떡해,
시종을 불러?
말어?

그렇지만
이 자식도 황제가
불러서 온 거라면….

야, 내 말
안 들리냐?

야.
귀가 먹었냐고.

무시하자,
무시.

핵

!!

문 한 겹 안쪽에 황제와
할아버지가 계시는데,
제가 뭘 어쩔 거야.

쉴쉭…

이게….

쳑 쳑

쳑

콰!

이 반쪽짜리가
계속 못 들은
척을 해?!

화악

씨익..

'반쪽짜리'라고 부르면
본성을 드러낸다더니….
벨레삭 말이 맞네?

내가 왜?

주제 모르는 것이
귀족의 침상에
기어올랐다더니

너도 네 어미를 닮아
주제를 모르는 게
똑같—

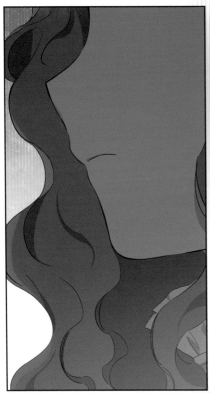

이, 이게
지금…

네깟 게
황족의 몸에
손을 대?!

얼굴이 반반해서
봐주려 했더니,
천한 계집이 감히…!

그럼 어디…

하아…
그래,
결국 이렇게
나오겠다 이거지.

떨컥!

덜컥…

윽

엿 좀 먹어 봐라,
이 자식아!

아야야…
너무 세게
당겼나?

너 대체 뭘…

티아야…?

아, 아버님….

상냥.

어디 한번
개쪽 당해 보라지.

이 상황은 어떻게
변명하려나?

아스타나.
이게 대체
무슨 일이냐.

헉..

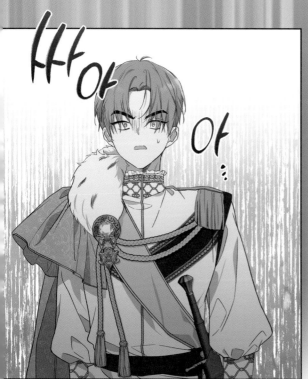

너···, 너,
이 천한 계집이···

어? 이게
아닌데···?

감히···

감히 또 나를
갖고 놀아?!!

204

…?

!!

당장
그 검 내려.

이,
이 천한 것이,

감히 제국 유일의
적장자인 나에게…!

티아…!

어서
일어나거라,
어서.

끼리끼리라더니.

둘 다
비천한 어미를 두어서
동질감이라도
느끼는 거냐?

1황자 전하…!

버럭

말을
조심하는 것이
좋을 것이오, 1황자!

시끄러,
시끄러!!!

악!

어, 어떻게?

이건 어머님이
생일 선물로 주신
보검인데…?

안..

저건 설마…

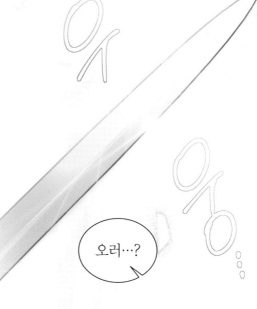

오러…?

오러? 오러라니?

?!

사과해.

그런 것은
보고받은 적이
없는데…!

피렌티아에게,
네가 한 짓에 대해
사과해.

아, 아버님.
이건
속임수입니다.

저놈의 칼을
조사해 보십시오.
분명 무언가
장치가…

버럭!

같은
황실의 일원끼리
이 무슨 추태란
말인가!

아버…

황실 기사들은
무엇 하는가!

당장 1황자를
제 방에
근신시켜라!

으르 르…

아버님!!!

오늘 있었던 일에
대한 책임은
내 차차 묻겠다.

황자는 방에서
혼자 머리를
식히도록 하라.

놔라!
아버님,

아바마마!!!

아바마마!!!

217

적당히 좋게
넘기고자 했거늘,
역시 물고 늘어지는가.

자, 자. 그래도
이 녀석이 있어 모두가
다치지 않고 끝날 수
있지 않았습니까.

롬바르디의
여식 역시
무사하니…

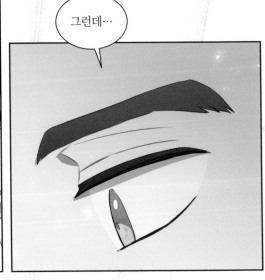

그런데…

매사 무심한 이 녀석이 다짜고짜 검을 빼 들 줄은 몰랐소이다.

오러라니, 대체 언제부터 쓸 수 있었던 게냐.

…우연히 지나가다 상황이 긴박해 보여서

달려들었을 뿐입니다.

오러는…
저도
처음입니다.

흐음….

뭐, 좋다.
그게 뭐가
중요하겠나.

그래,
짐의 아들이
오러, 오러라.

팡
팡

이번 건국제에서는
좋은 일만
일어나는구나.

싸늘..

뭐래,
나는 방금
죽을 뻔했는데?

갤갤!

마침 내 아들이
갤러한의 딸을
구해 주었으니

그것도 인연이라
할 법하지.

참나!!

당신의 아들이
날 먼저
죽일 뻔했다고!!

221

어떠한가,
갤러한.

기왕 이렇게 되었으니,
좋은 일을 하나
더 해 보는 것은?

…말씀하시는 바를
잘 이해하지
못하였습니다만….

자네의 딸과
내 둘째 아들이
비슷한 또래이니,

둘을 배동으로
맺어 주는 것은 어떤가
하는 이야기이네.

으왈 짝!

하하.

이리 나란히
두고 보니,
또 제법
잘 어울리는구나.

222

이건 또 어느 집 개소리야???

동성의 아이들이 배동이 될 경우는 보편적으로 정치적 지지자의 길을 걷지만,

이성의 아이끼리 배동으로 묶일 경우,

이는 사실상 혼약을 정하는 것과 다름이 없다.

죄송하지만, 폐하. 티아는 ―

옳지 않아 보이는군.

…1황자는 이미 내 손자와 배동을 맺고 있는 것으로 알고 있소.

황실에 존재하는 두 황자가, 모두 롬바르디와 배동 관계를 이룬다면

다른 귀족들 보기에도 그리 좋지는 못할 터.

무엇보다 '1황자의 만행'으로, 내 손녀가 많이 놀랐소이다.

이만 돌아가 쉬기를 청하는데.

척

…확실히, 데뷔탕트도 겪지 못한 여아에게는 자극이 좀 심했겠군요.

좋습니다.
배동 건은 차차
따로 이야기를 나눠
보도록 하죠.

어서
들어가시게.

…감사합니다,
폐하.

자, 티아야.
우리 그만…

뱡쑤

아빠?!

갤러한!!

죄송합니다.
폐하, 아버님.
이게….

무슨 일인가,
갤러한.

당황..

일어날 수
있겠느냐?

하아…

별것 아닙니다.
잠시 다리가
저려…

풀썩

…?

이상하군요.
오른쪽 다리가…
왜….

허어, 의원이라도
부르는 것이
좋겠나?

별일
아닐 겁니다.

아마도,
갑자기 일어나
쥐가 난 게
아닐지….

결국,
시작됐다.

몸의 한쪽부터
점차 말을 듣지 않고,
빠르게 번져나가

종국엔
모든 근육이 풀려,
고통스럽게
죽어 가는….

꽈악.

11화

타닥

타닥...

오셨습니까,
어서 이리로.

앗,
아직 연회도 끝나지
않았을 텐데….

우르릉...

그런 말씀 마십시오.

갤러한 님의 신변에 문제가 생긴다면, 그보다 더 큰일은 없습니다.

클레리반 님….

의원은 불렀는가?

앞서 오말리 박사에게 연락을 넣었습니다.

진료 도구만 챙겨 곧 온다 하더군요.

너무 걱정하지 마십시오, 아버님.

제가 이래 보여도, 이제껏 큰 병 한번 앓은 적이 없지 않습니까.

아마 쥐가 호되게 난 모양입니다.

…분점이니 뭐니 꾸준히 무리를 하더니,

내 그렇게 건강을 챙기라지 않았느냐.

그러게요,
진작 아버님
말씀을 들을걸
그랬습니다.

하앙.

걱정 마십시오.

분명, 별일
아닐 겁니다….

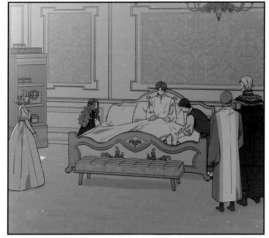

이건…

무슨
병인가?

네. 아프기는커녕
꼭 제 다리가 없어진 것
같은 느낌이라….

그, 섣부르게
결정 내릴 순
없습니다만…

다리에 통증은
없으시다고요.

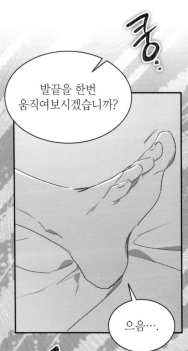

발끝을 한번
움직여보시겠습니까?

으음….

잘…
안 되는군요.

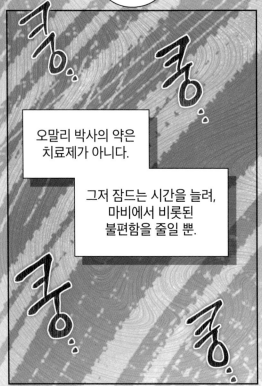

오말리 박사의 약은
치료제가 아니다.

그저 잠드는 시간을 늘려,
마비에서 비롯된
불편함을 줄일 뿐.

그렇게 한 달.
다른 쪽 다리에도
마비가 시작되고

또 한 달,
오른팔이 굳고…

'차라리,
아빠를
죽여 주세요.'

신이 있다면,
아빠가 더 괴로워하지 않게
빨리 죽게 해 주세요…!

나는 그저,
기도밖에 할 수
없었어….

…아,

티아.

피렌티아!

아..

아….

이런, 세상에.
티아야.

우리 딸이
많이 놀랐구나.

괜찮아,
아버지의 다리 근육이
잠시 말썽을
부린 거란다.

너무 걱정하지 말렴,
내 착한 딸. 알았지?

토닥
...

다시,
기도만…?

꾹
...

이번에는 그렇게
만들지 않아…!

네, 아빠.

그럼 약속했던
피크닉은 조금
미뤄야겠어요.
그렇죠?

그래, 대신
아빠가 다 나으면
더 멋진 곳으로
가자꾸나.

싱긋…

241

피크닉 바구니도
아주 큰 거로 들고,
응?

안걸

버얼

…그리고 보니
아직 씻지도
못했군.

네 주인을 데려가
옷을 갈아입히고
오거라.

예, 가주님.

저벅

저벅

빙긋

쿵
...

로릴.

네?

내가 옷을
갈아입는 동안,
편지지와 펜을
준비해 줘.

슥

그리고 서신을
담당하는 하인도
불러줬으면 해.

아...

네?
이 시간에요?

응, 편지를
맡길 거야.

그럼 이제 솔직히 말해 보게.

갤러한의 병명이 무엇인가.

머뭇….

그것이…

아무래도, 틀렌브루 병으로 생각됩니다….

우아.

?!

뻐억!….

말도 안 되는 소리!!

믿기 어려우시겠지만, 모든 증상이 그에 들어맞습니다.

아시다시피, 틀렌브루 병은 매우 희귀하지만 그만큼…

그리 희귀하다는
병인데,

잠시
들여다본 것으로
어찌 알 수
있단 말인가!!

아버님.

티아가 나간 지
얼마 되지
않았습니다.

…그리고,
오말리 박사.

틀렌브루는
불치의 병이라
알고 있습니다.

만일 그렇다면,
제게 남겨진 시간은
얼마 정도입니까?

그게…

솔직히
말씀해 주십시오.

일반적으로…
증세가 나타난 후
반년 정도를
평균치로 봅니다.

…알겠습니다.

다만 진료 한 번으로는
박사님도 명확히 파악이
어려울 수 있으니,

괜찮으시다면
내일 낮에 다시 한번
진료를 받도록 하지요.

예…
그럼, 저는
먼저 일어나
보겠습니다.

카흠.

탁

털썩

아니다,
아니야.

네가
틀렌브루라니.
그럴 리가 없다.

중얼.

오말리가
나이 들어
오진을 하는 게지.

아버님.

중얼.

내일이라도
다른 의원의 진찰을
받아 보거라.

너는 아직 젊다.
그런 몹쓸 병에 걸릴
이유가 없어.

아버님,
드리고 싶은
말씀이 있습니다.

…무엇이냐?

만일 제가
회복되지
못한다면…

갤러한!!

벌떡!

듣지 않은 것으로 하겠다!

아이의 아비 된 자가 어찌 그런 생각을 먼저 해?!

아버님.

제 병이 정말로 틀렌브루 병이라면,

저는 이제부터 많은 것을 정리하고, 또 대비해야 합니다.

그 아이가 혼자 남겨지더라도 무사할 수 있도록.

그것이… 아버지로서 제가 해온 일이고,

또 해야 할 일이니까요.

너는 어찌…
자식이 되어서…

이 아비에게…
그런….

…어디까지나,
'만에 하나'를 위한
것입니다.

하하…

아버님…
죄송합니다.

부디 저를
도와주십시오.

…피렌티아는
이 룰락의 손녀이자,
롬바르디의 이름을
받았으니,

설령 무슨 일이
일어난다 해도,
내가 그 아이를
지켜 줄 것이다.

…….

…감사합니다,
아버님.

12화

뚝 뚝...!

달깍...!

아, 피렌티아.

옷을 갈아입고 왔구나.

이리 오렴.

탁!

흑...

방금 오말리 박사님이 뭐가 문제인지 말해 주셨단다, 티아야.

오랜만의 무도회라 아빠의 다리 근육이 깜짝 놀랐던 모양이야.

큰 문제는
아니라는구나.

금방
나을 수 있다 하니,
너무 걱정 말거라.

아빠…
내가 무서울까 봐,

어린 내가
걱정할까 봐,
나를 안심시키려고
이렇게….

또닥

또닥

그래, 그래.
놀랐지.

미안하구나,
우리 딸.
다 괜찮을 거야.

…아니요,
아버지.

3주 후에는 아버지의 오른 다리가,

그리고 2달 뒤에는 손발이 모두 마비돼요.

꼬옥..

그리고 차츰 폐까지 굳어가,

석 달을 채 넘기지 못하고 고통스럽게 숨을 거두시는걸요.

하지만 이번 생에선 그렇게 보내지 않을 거예요.

꼭이요.

건국제 연회에서 오러를 발현하셨다죠. 정말 대단합니다.

아직 열넷도 안 되셨는데….

듣자 하니 1황자 전하께서는 얼마 전 겨우 검술의 기본기 연습을 마치셨다고….

역대 제국의 이름난 검술가 중에서 이렇게 빨리 오러를 발현한 사람이 있던가요?

우린 어쩌면…

세기에 한 번 태어날지도 모르는 천재를 주인으로 모시고 있는 걸지도….

또깍

또깍

황후 마마,
부디…!

또깍

또깍

화, 황후 마마.
지금은 2황자께서
수련을….

슬쩍

슬쩍

한 번은
맞아 줬으니
충분하겠지.

…저 손목을,
잘라 버릴까?

이익…!

제 어미와 함께
진작에 없어져야
했을 것이!!!

폐—

왜—

어디 보자꾸나, 괜찮으냐?

괜찮습니다.

어서 의원을 불러라. 황후 된 이가 어찌 손이 이리 모진가.

파삭

그리고 황후.

지금 2황자에게 천한 것이라 하였소?

2황자의 몸에 흐르는 피의 반이 나의 것이거늘,

그 말은 황가의 피 또한 천하다는 뜻인가?

…하!

어찌 그런
의미겠습니까.

하지만…

나머지 반의 피가
근본 없이 천박하다는 것
또한 부정할 수 없는
사실 아닌지요.

아니고서야
고작 황궁 하녀 따위가,
어찌 제 주제도 모르고
높은 분의 침상에
올랐겠습니까.

…그보다, 폐하.

저 또한 건국제에서 있었던 일에 대해 들었습니다.

아스타나에게 지나치셨더군요.

지나치다라? 무엇이?

저것은 미천한 하녀 소생이며,

롬바르디의 그 계집애는 그 어미가 그냥 평민도 아닌, 유랑민 출신의 천것이라지요.

그것들이 감히 이 나라의 개국을 알리는 건국제에서,

폐하께서 가장 처음 인정하신 적장자인 아스타나를 욕보이고 그 목에 검을 들이대었습니다.

귀족의 위신이 땅에 떨어졌다 해도, 신분은 이 제국을 구성해 온 근간,

한데 폐하께서는 어찌 그 천한 것만 감싸십니까.

…사생아건 아니건,
롬바르디의 성을
허락받은 아이요.

이 제국의 황자라면
롬바르디를 마땅히
제 편으로 만들 줄
알아야지.

괜한 분란이나
일으키는 것이 무슨
잘한 짓이라고!

왜 항상 그렇게
롬바르디의 눈치를
보십니까?

그들이 아무리
돈을 등에 업고
날뛴다 한들,

만백성이 인정하는
이 제국의 주인은
듀렐리입니다!

폐하와,
폐하의 핏줄이란
말입니다!

…황후는 룰락 롬바르디, 그가 결코 용납하지 못하는 것이 무엇인지 아시는가.

바로 자신의 혈육을 건드리는 일이오.

행여 어제 그 자리에서 그 롬바르디 여아의 피를 봤다면 지금 일이 어찌 되었겠소.

아스타나를 공개적으로 질책하는 정도로 룰락의 분노가 풀렸을까?

외려 2황자가 곧바로 나서 아스타나를 제지했기에

일이 이쯤에서 수습된 것이오.

그뿐인가? 아스타나의 추태는 잊히고,

다들 2황자의 재능을 말하기에 바쁘지 않은가?

한데 2황자에게 감사를 표해도 모자랄 판에,

쪼르르 제 어미의 치마폭에 달려가 고자질이나 하다니.

못난 놈 같으니….

버럭!

폐하—

새삼 다시 치하해야겠구나.

잘했다, 2황자.

그다지…

별일도 아니었습니다.

하찮은 잔챙이를 상대하는 것 따위.

그래,
진짜로 맞서
싸워야 하는 건…

이쪽이다.

…조금 전
롬바르디가로부터
전령이 왔다.

갤러한이 병이
들었다더군.

어떠하냐,
2황자.

네가 나 대신
롬바르디 저에
병문안을
다녀오는 것은?

기껏 감춰 뒀던 발톱을
그 롬바르디 여아 하나
구하겠다고 꺼내 들었던 것이
이상하다 싶었지만,

이렇게까지
눈빛이 변한다고?

이 녀석
봐라…?

이건 제법
쓸 만한 모양새가
될 것 같군.

…그리고 가기 전
내 서신을 한 장
써 줄 테니,

2권에서 계속

이번 생은 가주가 되겠습니다 2부 1

ⓒ 몬·앤트스튜디오, 김로아 2021 / D&C MEDIA

초판 발행 2024년 5월 29일

글/그림 몬·앤트스튜디오
원작 김로아

펴낸이 최원영
본부장 장혜경
책임편집 구유희
내지 부속 디자인 최은아
표지 디자인 크리에이티브그룹 디헌
본문 편집 디자인 (주)디자인프린웍스

국제업무 박진해 김수지 국경님 전은지 유자영 박이서 남궁명일
온라인 마케팅 박선혜 한혜지 박서희
관리·영업 김민원 조은걸
물류 이순우 최준혁 박찬수

펴낸곳 (주)디앤씨미디어
출판등록 2002년 4월 25일 제20-260호
주소 서울시 구로구 디지털로32길 30 코오롱디지털타워빌란트 1301-1308호 (08390)
대표전화 02-333-2513 **팩스** 02-333-2514
전자우편 webtoon_book@dncmedia.co.kr
블로그 blog.naver.com/dncent

ISBN 979-11-93821-21-3 (07810)
　　　　979-11-93549-61-2 (set)